STOPP!

STOPP! DIES IST DIE LETZTE SEITE!

DEMON SLAYER ist ein Manga, und einen japanischen Comic liest man von hinten nach vorne. Auch die Lesereihenfolge der Bilder und Sprechblasen auf den Seiten ist anders als gewohnt: von rechts oben nach links unten.

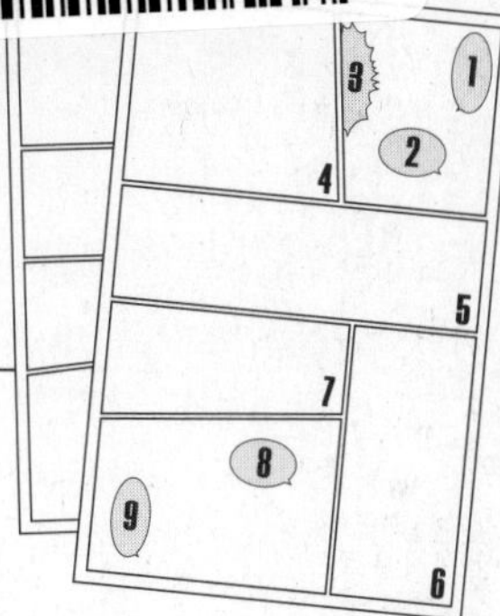

DEMON SLAYER 8

von
Koyoharu Gotouge

3. Auflage, 2021
Deutsche Ausgabe/German Edition

Aus dem Japanischen von Burkhard Höfler

First published in Japan in 2016 by SHUEISHA Inc., Tokyo.
German translation rights in Germany, Austria and German-speaking Switzerland
arranged by SHUEISHA Inc. through VME PLB SAS, France.

Programmleitung: Michael Schuster & Lea Heidenreich
Redaktion: Alexandra Grimsehl
Lektorat: Andrea Bottlinger
Layout und Lettering: Manga Cult
Druck: GGP Media GmbH, Poessneck

Print-ISBN: 978-3-96433-408-4

www.manga-cult.de | Juni 2021

Demon Slayer

Koyoharu Gotouge

Das Monster-Karpfen-Nobori

Aus der Doppelausgabe 21/22 von 2017 des Weekly Shonen Jump

Na ...
ihr wisst schon!
Ein Viertel, wo ...
Steht
ihr auf dem
Schlauch?!

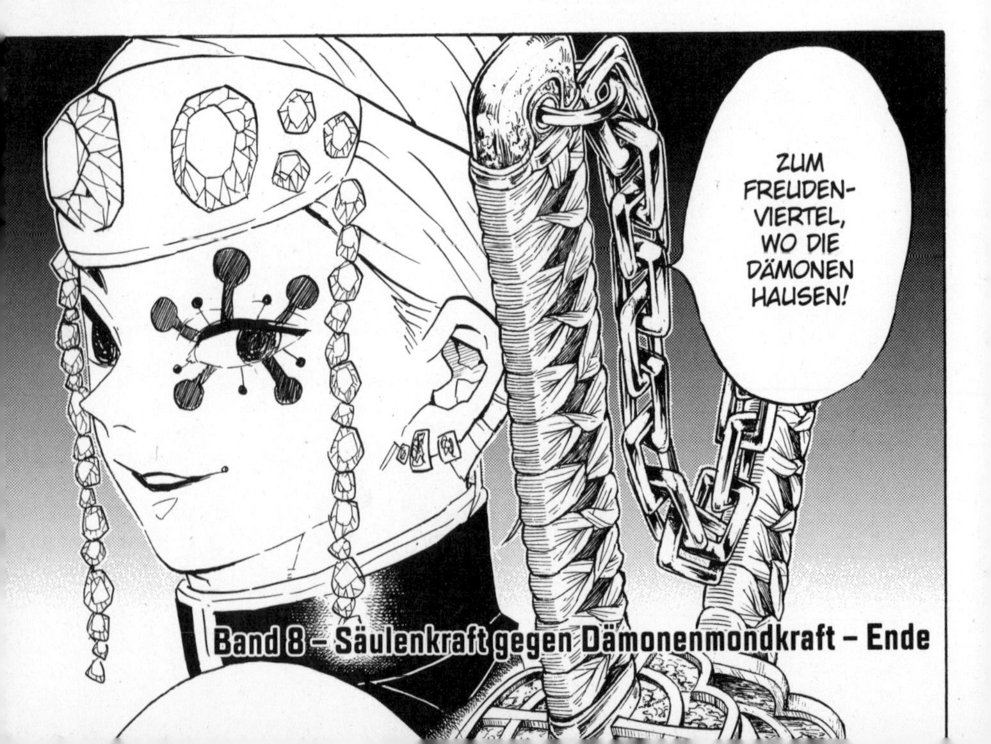

Band 8 – Säulenkraft gegen Dämonenmondkraft – Ende

...
AHA.
GUT, DANN KOMMT MIT.

?!
ER LIESS SICH JA SEHR SCHNELL UM-STIMMEN!

PATT
ABER SEID GEFÄLLIGST BRAV UND GEHORCHT MIR!
KYAH!

Er gab Aoi zurück.
BUWAH!

TANJIRO ...

TSCHIPP
ICH BIN GERADE ZURÜCK-GEKOMMEN UND HAB NOCH KRÄFTE ÜBRIG!
ICH KANN GERNE MIT-KOMMEN!
ZITTER
ZITTER
WÜ... WÜ... WÜRDEN SIE AOI BITTE FREILASSEN!
ZITTER
ZITTER
SIE SIND VIELLEICHT EIN MUSKEL-MONSTER, ABER ICH WEI... WEI... WEICHE KEI-NEN SCHRITT ZURÜCK!
ZITTER
...
HFF
BRTZ
BRTZ
KNURR
URGH

TAPP
POTOMM

JEDER MENSCH HAT SEINE EIGENEN UMSTÄNDE, ALSO SEIEN SIE NICHT SO UNSENSIBEL GEGENÜBER ANDEREN LEUTEN!!
LASSEN SIE AOI GEHEN!!

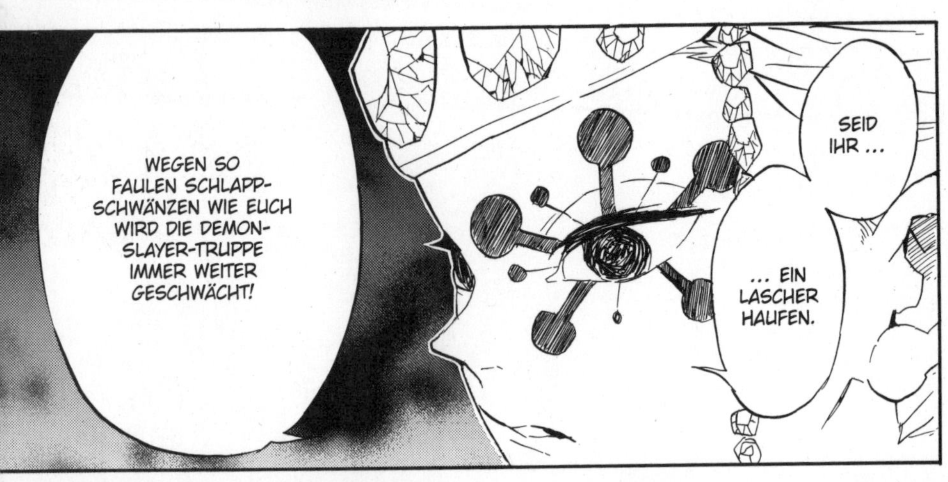
SEID IHR ...
... EIN LASCHER HAUFEN.
WEGEN SO FAULEN SCHLAPP-SCHWÄNZEN WIE EUCH WIRD DIE DEMON-SLAYER-TRUPPE IMMER WEITER GESCHWÄCHT!

DANN GEHEN WIR ANSTELLE VON AOI!!

WAS MACHEN SIE DA, SIE UN-MENSCH?!
WÄÄÄH! ER HAT MICH RUNTERGE-SCHMISSEN!
ICH NEHME JETZT ERST MAL DIE HIER MIT AUF DIE MISSION.
DIE WIRD MIR ZWAR WAHR-SCHEINLICH NICHT SEHR NÜTZLICH SEIN, ABER IMMERHIN IST SIE EIN TRUPPEN-MITGLIED.

NIX DA, „HMPF"!! DU HAST ÜBERHAUPT NICHT DIE BEFUGNIS, MICH ANZUERKENNEN ODER NICHT!!
DU BIST MEIN UNTERGEBENER!! IST DEIN GEHIRN EXPLODIERT, ODER WAS?!
SWUSCH
ICH BRAUCHE FÜR EINE MISSION WEIBLICHE TRUPPENMITGLIEDER, UND DESHALB NEHME ICH DIE HIER MIT!!
SIE SIND KEINE TSUGUKO, ALSO MUSS ICH FÜR SIE KEINE GENEHMIGUNG VON KOCHO EINHOLEN!
SWUSCH
NAHO IST KEIN TRUPPENMITGLIED!!
MAN SIEHT DOCH, DASS SIE KEINE UNIFORM TRÄGT!!
GUT, DANN BRAUCH ICH SIE NICHT.
WOPP

NAAAH
LASSEN SIE AOI UND DIE ANDEREN LOS, SIE ENTFÜH-RER!!
GENAU! GENAU!
WAS SOLL DAS ÜBER-HAUPT WER-DEN?!
PERVERS-LING!! PER-VERSLING!!
GWRÄH
IHR ROTZ-GÖREN!!
WAS DENKT IHR, WEN IHR VOR EUCH HABT?!
ICH BIN EUER VOR-GESETZTER!! ICH BIN EINE SÄULE, VER-DAMMT!!
ICH ERKENNE SIE NICHT ALS SÄULE AN!!
HMPF!

ICH BIN DER EHEMALIGE SHINOBI TENGEN UZUI.
IN DIESER GEGEND KENNT MAN MICH EIGENTLICH!

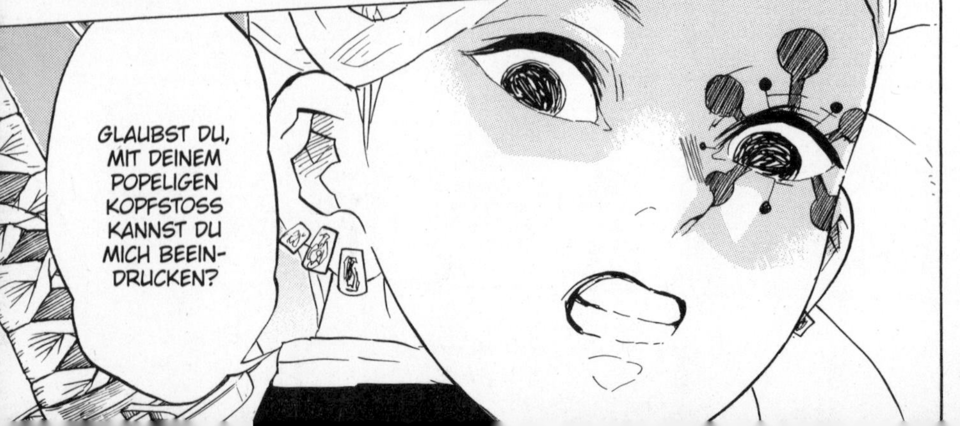
GLAUBST DU, MIT DEINEM POPELIGEN KOPFSTOSS KANNST DU MICH BEEIN-DRUCKEN?

SWU
SCH
WOMP
WOMP
ALLES IN ORDNUNG?!
JAAA!
DU DUMM-KOPF!

BLÖDE GÖREN!
KYAAAAH!
DAPP
WUPP

WIE BE-HANDELN SIE DIE MÄDCHEN?!
LASSEN SIE SIE LOS!!
OBWOHL ... DAS WER-DEN IMMER MEHR?
VIELLEICHT IST ER DER-JENIGE, DER GERADE GEFANGEN GENOMMEN WIRD?
DAS IST EINE ENT-FÜHRUNG!
HILFE! ZU HILFE!

…
SAGT DOCH MAL WAS!! IHR SEID SO STILL!!
GUAH
ZERR
KYAAAAAH!!

ZUM …
… AN-GRIFF!!
ATTA-CKE!!
HEY!!
GRABB
JETZT REICHT'S MIR ABER!!
IHR VER-DAMM-TEN …
GRABB

GRABB

KANAO ...

KANAO!

ZERR NICHT AN MIR RUM, DAS MERK ICH EH KAUM!
DU HAST DOCH VORHIN EINEN BEFEHL ERHALTEN!

KA...
KANAO!

MISSI-ON ...
VORGE-SETZTER ...
BEFEHL ...
SHINO-BU ...
AOI ...
NAHO ...
MÜN-ZE ...
SÄULE ...
BE-FEHL ...

MÜNZE ...
ICH WERFE EINE MÜNZE, UM DAS ZU ENT-SCHEIDEN!

BEI „VORDERSEITE" HÖRT KANAO IN ZUKUNFT AUF IHR HERZ!

KANAO!
KANAO!

DOMM
SCHREI NICHT SO RUM!
WAAAAH!
ZITTER ZITTER
AUF-HÖREN!
JAUL
...
JAUL
LASSEN SIE SIE LOS!

... DESSEN SCHÄTZTE ICH MICH GLÜCKLICH.
TAUMEL
NEZUKO!
TAUMEL
NEZUKO!
UOOOOH!

Auf dem Rückweg von einer Ein-Mann-Mission ...
ICH BIN FIX UND FERTIG!
TAPP
TAPP

Schmetterlings-anwesen
KYAH!
KYAH!
NEIIN!

?!

LOS-LASSEN!
ICH ...
SIE IST ...

FAST VIER MONATE WAREN SEIT HERRN RENGOKUS TOD VERGANGEN …
UOOOOOH!
NOCH HUNDERT MAL!!
GYAAAH!
… UND UNSER TÄGLICHES TRAINING WURDE NUR GELEGENTLICH DURCH DEN BEFEHL EINER KRÄHE UNTERBROCHEN.
ICH STERBE! ICH STERBE!
DANN MUSSTEN WIR DÄMONEN TÖTEN GEHEN.

ZENITSU SCHMOLLTE NUN NICHT MEHR, SELBST WENN ER ALLEINE AUF EINE MISSION GESCHICKT WURDE.
GIB MIR EINE STRÄHNE VON NEZUKOS HAAR MIT, DANN HALTE ICH DURCH!
HAH HAH
INOSUKE STÜRMTE NOCH WILDER DRAUFLOS ALS FRÜHER.
WIR LAUFEN, BIS UNS ALLE KNOCHEN BRECHEN!!
LOS, LEUTE!

NICHT ALLEINE ZU SEIN …
NUR NOCH EIN BISSCHEN! HALTET DURCH!

Kapitel 70: Entführung

Ich will jeden Tag Mitarashi-Dango essen!
Herrn Haganezukas Leibspeise sind in Sojasoße und Sirup getunkte Reisklöße. Wenn er wütend wird, gehe ich ihm welche kaufen.
Gut!

WAS FÄLLT DIR EIN, DEIN SCHWERT ZU VERLIEREN, DUUUUUU ...?!
DAMIT HAST DU TAUSEND TODE VERDIENT! TAUSEND TODE ...!!

ENTSCHULDIGUNG!! ENTSCHULDIGUNG!!
AAAAAAARGH!
ES TUT MIR WIRKLICH SEHR LEID!!
Ihr Fangspiel dauerte fast bis zum Morgengrauen.
BAMM
BAMM
BAMM
BAMM BAMM
SWUSCH
SWUSCH

WU
MM

AH!
HERR HAGANE-ZUKA!!

HAH
HAH
HAH

HAH
BEKOMME ICH FIEBER?
MIR GEHT'S NICHT GUT ...
SEI NICHT SO WEICHLICH! STRENG DICH AN!
HAH

KRATZ
KRATZ
ALLES IN ORDNUNG, NEZUKO! WIR SIND GLEICH IM SCHMETTERLINGS-ANWESEN!

HM?

BAMM
KYOJURO!
UUH ...
BUHUU ...

KLAPP
ICH GEHE. BIS SPÄTER ...
... VATER!

WAPP

KYOJURO HAT GESAGT, DASS DU AUF DEINE GESUND-HEIT ACHTEN SOLLST.
DAS SIND SEINE LETZTEN WORTE AN DICH, MEHR NICHT.

ZUCK
DER IST MIR EGAL! GEH WEG!!
ABER ...
... KYOJURO HAT ...
ALLES BLÖDSINN!!
DER HAT DOCH NUR GEGEN MICH GESTÄNKERT!
DAS WEISS ICH!!

...
MACH SCHON, GEH WEG!!

...
IST GUT.

ENT-
SCHULDIGUNG.
DU BIST
WIEDER DA
...?
ÄHM ...
DER JUNGE
VON VOR-
HIN ...
SEI
STILL!

DA...
DAS KANN ICH DOCH NICHT ANNEHMEN! DAS IST ZU WERTVOLL!
ICH ...

... MÖCHTE, DASS DU ES MITNIMMST.
ES WIRD SICHER DEINEM SCHUTZ DIENEN!

...
DANKE ...

ICH BIN FROH, DASS ICH MIT DIR SPRECHEN KONNTE!
PASS AUF DEM HEIMWEG GUT AUF DICH AUF!

ICH BIN AUCH FROH!
VIELEN DANK FÜR ALLES!
VERBEUG

DA FÄLLT MIR ETWAS EIN, TANJIRO.
FHUP
HIER ...

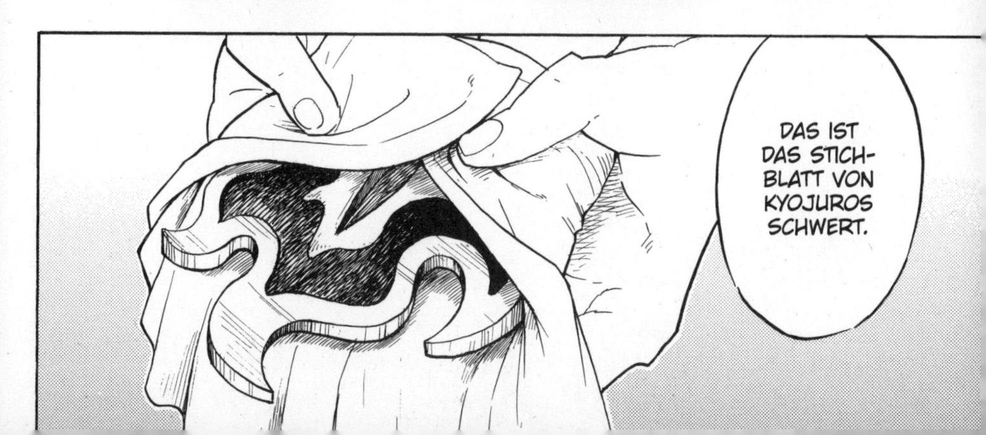
DAS IST DAS STICH-BLATT VON KYOJUROS SCHWERT.

GEHE DEN WEG, DEN DU FÜR DEN RICHTIGEN HÄLTST!
UND WENN JEMAND SCHLECHT ÜBER DICH REDET, GIB ICH IHM EINEN KOPFSTOSS!

DAS SOLLTEST DU LIEBER LASSEN!

ICH WERDE DIE AUFZEICH-NUNGEN DER SÄULEN DER FLAMMEN FRÜHERER GENERATIONEN RESTAURIEREN!
ICH SCHAUE MIR AUCH DIE ANDEREN BÜCHER AN …
… UND FRAGE MEINEN VATER.
WENN ICH ETWAS NEUES ERFAHRE, SCHICKE ICH DIE KRÄHE ZU DIR!

ICH HABE MEINEN TRAUM, EIN SCHWERT-KÄMPFER ZU WERDEN ...
... AUF-GEGEBEN.

ICH WERDE DEN MENSCHEN ...
... IN ANDERER FORM DIENEN.

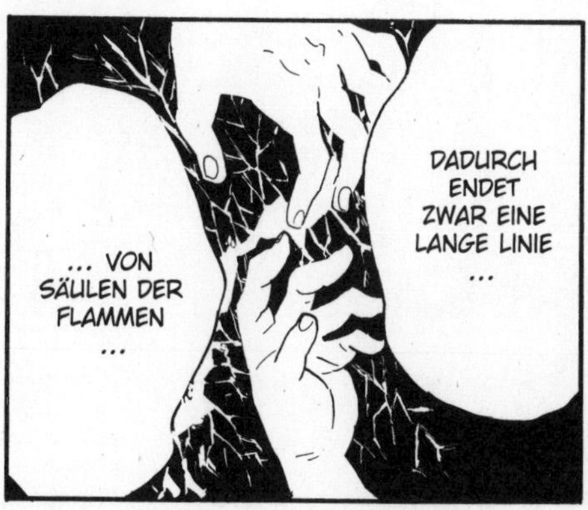
DADURCH ENDET ZWAR EINE LANGE LINIE ...
... VON SÄULEN DER FLAMMEN ...

... ABER MEIN GROSSER BRUDER ...
... WIRD ES MIR SICHER VERZEIHEN!

EIGENTLICH HÄTTE ICH SEIN TSUGUKO WERDEN …
… UND ALS SEINE ERSATZ-SÄULE VERDIENSTE ANHÄUFEN SOLLEN.

ABER …
… MEIN SONNEN-SCHWERT HAT SEINE FARBE NICHT GEÄNDERT.

UND DAS TUT ES NUR, WENN MAN SICH …
… EINIGES AN SCHWERT-KAMPF-FÄHIGKEITEN ANGEEIGNET HAT.

ABER EGAL WIE HART ICH TRAINIERTE …
… ICH KONNTE EINFACH NICHTS!
TROPF

... WIE DEIN BRUDER KYOJURO EINE WAR!

ER HATTE KEINEN TSUGUKO.

ICH HABE LANGE NACHGE-DACHT.
ABER ES GIBT KEINE METHODE, DIE MIR ZUPASS KÄME.
ES GIBT KEINE SCHNELLE ABKÜRZUNG.

ICH MUSS MICH ABMÜHEN.
ICH MUSS ALLE MIR JETZT VERFÜGBAREN KRÄFTE EIN-SETZEN, UM VORWÄRTS ZU KOMMEN.
TROTZ ALLER MÜHEN UND RÜCK-SCHLÄGE.

UND ICH …

GNN
… WILL UN-BEDINGT EINE STARKE SÄULE WERDEN …

ACH SO.
WENN ICH IM ZUSTAND VOLLER KONZENTRATION DEN TANZ DES FEUERGOTTS ANWENDE, HABE ICH NICHT MEHR DIE VOLLE KONTROLLE ÜBER MEINE KÖRPERBEWEGUNGEN.
ICH BIN DER TECHNIK KÖRPERLICH NICHT GEWACHSEN.
DAS IST MEIN PROBLEM.

„DURCHGEHENDE VOLLE KONZENTRATION" HAT MEINE KÖRPERKRAFT ERHÖHT, ABER ES REICHT NOCH NICHT.
WENN ICH DIE PERMANENZ ÜBE, WERDE ICH TÄGLICH EIN BISSCHEN STÄRKER, ABER NICHT SCHLAGARTIG.

WENN ICH NEULICH ...
... STÄRKER GEWESEN WÄRE ...
... HÄTTE ICH DEINEN BRUDER SICHER RETTEN KÖNNEN. ACH, GÄBE ES NUR EINE METHODE, STÄRKER ZU WERDEN!

ACH WAS!
DAS IST JA NICHT DEINE SCHULD.
MACH DIR NICHTS DRAUS!

DU BIST EXTRA HIERHER GEKOMMEN ...
... UND NUN KANNST DU NICHTS ÜBER DEN TANZ DES FEUER-GOTTS UND DIE SONNENATMUNG IN ERFAHRUNG BRINGEN.

IST NICHT SCHLIMM. ICH WEISS JA, WAS ICH ZU TUN HABE.

ICH WERDE MEHR ÜBEN.
ICH BEHERRSCHE JA NOCH NICHT MAL DEN TANZ DES FEUERGOTTS, OBWOHL ICH DEN ABLAUF GENAU KENNE.

DIE SEITEN SIND EIN-GERISSEN!
DAS IST KAUM LESBAR.

WAR DAS BUCH SCHON IMMER IN DIESEM ZUSTAND?
NEIN, DAS GLAUBE ICH NICHT!
DIE AUFZEICHNUNGEN DER SÄULEN DER FLAMMEN FRÜHERER GENERATIONEN WURDEN SICHER SORGFÄLTIG AUF-BEWAHRT.

WAHR-SCHEINLICH HAT MEIN VATER SIE ZERSTÖRT.
DAS TUT MIR LEID!

Kapitel 69: Vorwärts! Egal wie langsam!

Kopfstoß aus der Drehung heraus
Niedrigere Trefferrate, aber
stärkere Wirkung

ICH GLAUBE, DAS HIER IST ES.
BUCH FÜR DIE 21. SÄULE DER FLAMMEN

VIELLEICHT STEHT DA DRIN, WAS DU WISSEN WILLST, TANJIRO!
VERBEUG
VIELEN DANK!

FLAPP

DA…
DAS IST JA …
BUCH FÜR DIE 21. SÄULE DER

VERSTEHE ...
ER WAR BIS ZULETZT ALSO EIN GUTER MENSCH.

VIELEN DANK!

ABER NICHT DOCH!
VERBEUG
ES TUT MIR LEID, DASS ICH NICHT GENUG KRAFT HATTE ...

BITTE MACH DIR KEINE VORWÜRFE!
DAS HAT MEIN BRUDER SICHER AUCH GESAGT, NICHT WAHR?

...

ICH GLAUBE, ICH WEISS, WO DIE AUFZEICHNUNGEN SIND, DIE MEIN VATER OFT GELESEN HAT.
WARTE MAL KURZ, ICH HOLE DAS BUCH!

JA, ICH DENKE SCHON!
ER IST NÄMLICH GLEICH NACH DEM AUFWACHEN SCHNAPS KAUFEN GE-GANGEN.
AHA.
VIELEN DANK!
VERBEUG
HM?

DAS HAT SO GUT GETAN!
WENN ER ÜBER KYOJURO GELÄSTERT HAT …
… KONNTE ICH NIE IRGENDWAS ERWIDERN.

…
WAS HAT MEIN GROSSER BRUDER DENN AM ENDE NOCH GESAGT?

DEPRIMIERT
ICH HAB ES GETAN!

HIER ...
... DEIN TEE!
POCK

DA... DANKE!
ES TUT MIR WIRKLICH LEID, DASS ICH DEINEM VATER EINEN KOPFSTOSS VERPASST HABE ...
HAT ER IHN ÜBERSTANDEN?

GWOMM!
WIESO NICHT?!
WOPP

WENN SIE SO EINE TOLLE ATMUNG IST ...
... WIESO KONNTE ICH HERRN RENGOKU DANN NICHT HELFEN?!
DOMM
WIESO NICHT?!
WIESO NICHT?!
GASCH
WUPP

BWAKK
HÖR AUF, VATER!!
WIESO?!
WENN DIE SONNEN-ATMUNG DER TANZ DES FEUERGOTTS IST ...

ICH SPIELE MICH NICHT AUF!!
SIE ...
... BLÖDER ALTER!
SIE HABEN DOCH GAR KEINE AHNUNG, WIE MICH MEINE EIGENE SCHWÄCHE FERTIGMACHT!
REDEN SIE NICHT SCHLECHT ÜBER HERRN RENGOKU!!
ACHTUNG!
MEIN VATER WAR FRÜ-HER EINE SÄULE!

WAS BEDEUTET DAS?
MEIN FAMILIENSTAMMBAUM IST VOLLER KÖHLER.
SONNENATMUNG ... TANZ DES FEUERGOTTS ...
NEIN ...
VIEL WICHTIGER IST ...

BLOSS WEIL DU EIN ANWENDER DER SONNENATMUNG BIST ...
... MUSST DU DICH HIER NICHT SO AUFSPIELEN, KLEINER!!

... DIE URSPRÜNGLICHE ATMUNG!
DIE ZUALLERERST ENTSTANDENE ATMUNG UND DIE STÄRKSTE TECHNIK!
JEDE ANDERE ATMUNG GEHT AUF SIE ZURÜCK!

ALLE ATEMTECHNIKEN SIND NUR NACHAHMUNGEN DER SONNENATMUNG!
FEUER, WASSER, WIND UND ALLE ANDEREN SIND NUR MINDERWERTIGE TECHNIKEN, DIE DIE SONNENATMUNG NACHÄFFEN!!

DAS IST ÜBERHAUPT NICHT WAHR!!
ICH VERSTEHE NICHT, WAS SIE WOLLEN! WARUM SAGEN SIE SO ETWAS?!

WEIL DU EIN ANWENDER DER SONNENATMUNG BIST, DESHALB!
ICH ERKENNE DEINEN OHRSCHMUCK!
VON DEM HAB ICH GELESEN!!

?!
...
SONNENATMUNG ... MEINT ER VIELLEICHT DEN TANZ DES FEUERGOTTS?!
GENAU! SONNENATMUNG ...
TAUMEL
... IST ...

WAS IST DENN IN SIE GE-FAHREN?!
SIE ZIEHEN DAS ANDENKEN IHRES VER-STORBENEN SOHNES IN DEN DRECK UND ...
... SCHLA-GEN IHR ANDERES KIND!
WAS SOLL DAS?!
DU WILLST UNS WOHL ZUM NARREN HALTEN!

HALT'S MAUL!!
BATSCH
DOMP
SCHRECK
JETZT REICHT'S MIR ABER! SIE UN-MENSCH!!
BWOSCH

BWAKK
IST DER SCHNELL!!
DER BEWEGT SICH NICHT WIE EIN AMATEUR!!
VATER!! HÖR AUF DAMIT!
SCHAU DOCH IN SEIN GESICHT!
ES GEHT IHM NICHT GUT!!

...
DU ...
ACH SO, DU ...

?!

DU BIST EIN ANWENDER DER SONNEN-ATMUNG, ODER?!
HAB ICH RECHT?!

SONNEN-ATMUNG?
WAS IST DAS?

WER BIST DU DENN ÜBER-HAUPT?!
HAU AB! TRITT JA NICHT ÜBER MEINE SCHWELLE!

ICH BIN ...

... EIN DEMON SLAYER.

* ALKOHOL

!!
KRACH

SENJURO!
DIE ZEIT DER TRAUER IST VORBEI!
MACH NICHT BIS IN ALLE EWIGKEIT SO EIN GESICHT!

HE!!

DAS IST JA SCHRECKLICH, WIE SIE REDEN!
HÖREN SIE AUF DAMIT!

WELCHE FÄHIGKEITEN JEMAND HABEN WIRD, STEHT SCHON BEI SEINER GEBURT FEST.

NUR DIE WENIGSTEN HABEN EINE BEGABUNG!
ALLE ANDEREN SIND NORMALER PÖBEL ...
... WERTLOSES PACK UND AB-SCHAUM!!

SO WIE KYOJURO! ER HATTE KEINE BESONDERE BEGABUNG.
ES WAR KLAR, DASS ER STERBEN WÜRDE.

Kapitel 68: Der Anwender

Einen nach dem anderen!
SWUSCH
SWUSCH

* ECHTER SCHNAPS AUS GETREIDE

HAST DU DIE TRAURIGE NACHRICHT VON KYOJURO RENGOKUS TOD SCHON BEKOMMEN?
ICH BIN HIER, UM SEINEM VATER UND SEINEM BRUDER SEINE LETZTEN WORTE ZU ÜBERBRINGEN.

...
VON KYOJURO?
ICH WEISS SCHON VON SEINEM TOD, ABER ...
... ÄH ...
... GEHT ES DIR NICHT GUT? DU BIST GANZ BLEICH IM GE-SICHT!

HAU AB!
DER HAT IN SEINEN LETZ-TEN MOMENTEN DOCH SICHER SOWIESO NUR BLÖDSINN ERZÄHLT!

DU BIST SENJURO ...
... RICHTIG?

!!

VERBEUG

HAH
HAH
HAH

HERRN RENGOKUS KRÄHE ...
DANKE!
HAH
HAH
HAH
SIE ERRÄT HERRN RENGOKUS WILLEN UND ZEIGT MIR DEN WEG!
HAH
HAH

ES TUT MIR WIRKLICH LEID!
TANJIRO IST NIRGENDS ZU FINDEN!
HA HA HA!
KEIN PROBLEM!
JAUL
DASS TANJIRO SCHON WIEDER TRAINIERT, OBWOHL SEINE WUNDE NOCH NICHT GEHEILT IST, MACHT AUCH FRAU SHINOBU GANZ WÜTEND!!
SIE HAT IHM GESAGT, DASS ER AUSRUHEN MUSS, ABER …

SEINE BAUCHWUNDE IST ZIEMLICH TIEF, ODER?
UND IN DEM ZUSTAND IST ER WEGGEGANGEN?!

SPINNT DER?!

TANJIRO!
WUPP
ICH HAB (KOSTENLOS) KLÖSSE BE-KOMMEN! LASS UNS ESSEN!
WOMM!
TANJIRO IST NICHT DA!!
AAAAH!
ZENITSU! ENT-SCHULDI-GUNG!!
ACH, IST DOCH GAR KEIN PROBLEM!
WAS GIBT'S?
GLUBSCH
GLUBSCH
DEINE PUPILLEN HABEN EIN PROBLEM!

SELBST INOSUKE HAT GEHEULT.
IHN HAT DAS ALLES SICHER AUCH SEHR MITGENOMMEN.
GYAAAAAH!
WÄÄÄÄH!
WIR SIND SCHLIESSLICH MENSCHEN UND KÖNNEN NICHT EINFACH UMSCHALTEN UND ZUR TAGESORDNUNG ÜBERGEHEN!

AUCH JEMAND, DER SEHR STARK ERSCHEINT, HAT SEINE MOMENTE, IN DENEN ER LEIDET UND TRAUERT.
ABER MAN KANN SICH NICHT EWIG DIESEM SCHMERZ HINGEBEN ...
... SONDERN MUSS SEINE WUNDEN LECKEN UND IRGENDWANN WIEDER AUFSTEHEN.

EIN SOLCHER MENSCH WAR SICHER RENGOKU.
SO KLANG ER JEDENFALLS IN MEINEN OHREN.
SEIN TON WAR EIN BISSCHEN MERKWÜRDIG, ABER STARK UND WARMHERZIG.

Schmetterlings-
anwesen ...

AUCH TANJIRO IST GANZ NIEDERGE-SCHLAGEN.
ER ZWEIFELT WAHR-SCHEINLICH AN SEINEN FÄHIGKEITEN.

KEIN WUNDER! RENGOKU HATTE DEN KLANG EINES SEHR GEÜB-TEN UND GUT TRAINIERTEN KÄMPFERS ...
... UND WENN SOGAR SO JEMAND STIRBT ...
... IST DAS TRAURIG UND VERSTÖREND.

ICH HABE MIR DEINE VISAGE GEMERKT, KLEINER!
NÄCHSTES MAL ZERQUETSCH ICH DIR DEIN SPATZENHIRN!!

GASCH
GASCH
GASCH
GASCH
GASCH
FEIGLING!!

WENN DU TATSÄCHLICH SCHLÄGE VON EINEM SCHWERT-KÄMPFER EINSTECKEN MUSSTEST, DER NICHT EINMAL EINE SÄULE IST …
… DANN BIST DU NICHT MEHR WÜRDIG, DIE ZUNEHMENDE DREI ZU SEIN.

ZUCK

GEH!

DU KOMMST HER UND ERZÄHLST MIR GANZ STOLZ, DASS DU EINE SÄULE GETÖTET HAST …
… ABER DA WAREN DOCH NOCH DREI ANDERE DÄMONEN-JÄGER!
WARUM HAST DU DIE NICHT AUCH GLEICH ERLEDIGT, AKAZA? ICH HABE DICH DOCH EXTRA DA HINGESCHICKT, WEIL SIE ALLE DORT WAREN!
AKAZA!
AKAZA!
AKAZA!!
FROPP
ZOOOB
ICH BIN ENTTÄUSCHT VON DIR!

EINE EINZIGE SÄULE ...
... HAST DU ALSO GETÖTET. NA UND?
ICH WILL, DASS DIE GESAMTE DEMON-SLAYER-TRUPPE AUSGE-ROTTET WIRD!
KRACKS
KRACKS
DASS EIN DÄMON EINEN MENSCHEN BESIEGT, IST EINE SELBST-VERSTÄND-LICHKEIT.
KEIN EINZIGER VON IHNEN SOLL ÜBRIG BLEIBEN! ICH WILL, DASS DU ALLE UM-BRINGST!
KRACKS
BRTZ
BRTZ
SO KOMPLIZIERT KANN DAS DOCH NICHT SEIN!
UND TROTZ-DEM IST ES NOCH NICHT PASSIERT.
WIE KANN DAS SEIN?
BRTZ
WAPP
WAPP

ICH WERDE ALL MEINE KRÄFTE AUFBIETEN, UM EUREN ER-WARTUNGEN ZU ENTSPRECHEN, HERR MUZAN.
ICH HABE EINE SÄULE GETÖTET, WIE IHR BEFOHLEN HABT, ALSO BITTE SEID GANZ BE-RUHIGT.

DU SCHEINST DA ETWAS MISSZUVER-STEHEN …
… AKAZA.
FHUP
KRACKS

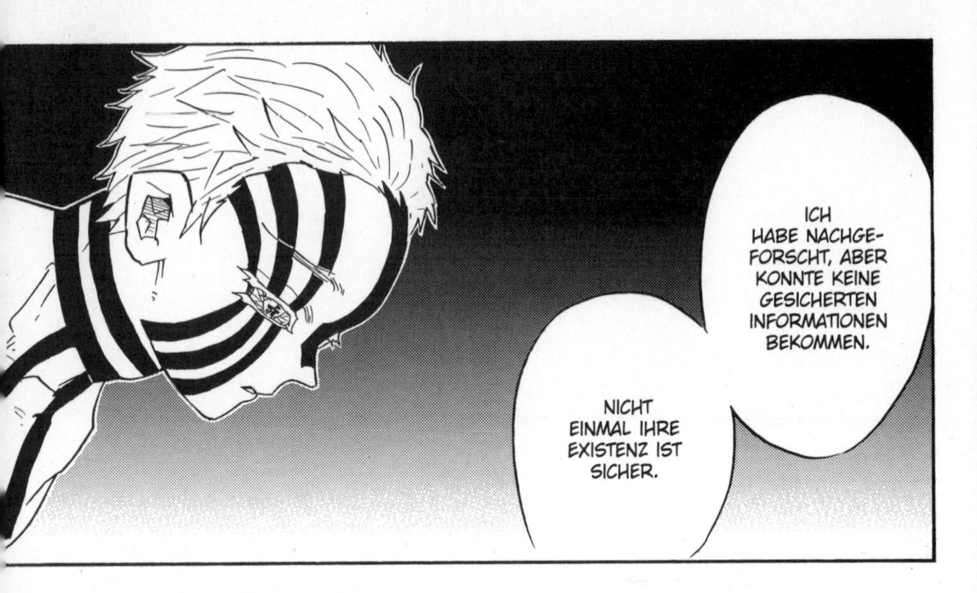
ICH HABE NACHGE-FORSCHT, ABER KONNTE KEINE GESICHERTEN INFORMATIONEN BEKOMMEN.
NICHT EINMAL IHRE EXISTENZ IST SICHER.

ICH HABE DIE BLAUE SPINNENLILIE NICHT GE-FUNDEN.

UND?

... HERR MUZAN.

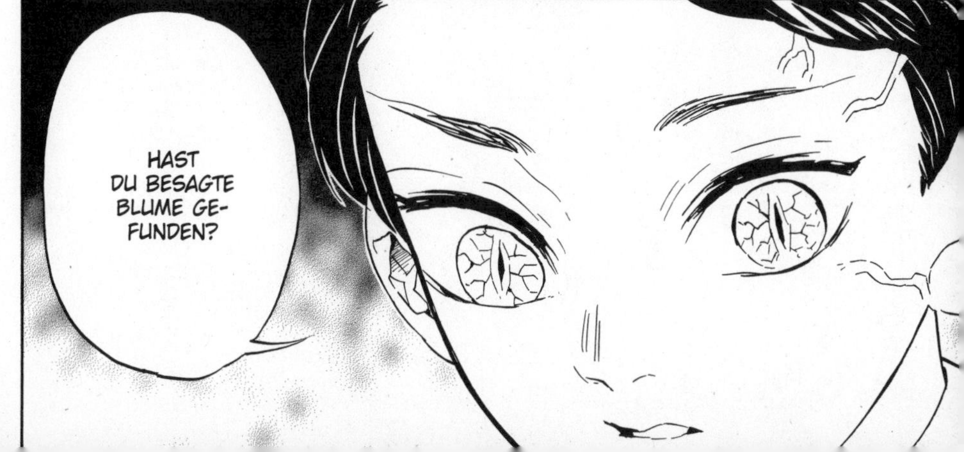
HAST DU BESAGTE BLUME GE-FUNDEN?

ICH HOFFE, DASS UNSERE FIRMA EIN SPEZIAL-MEDIKAMENT HERSTELLEN KANN …
… UND ZWAR MÖGLICHST BALD!

HYUUU

ICH BIN GE-KOMMEN, UM BERICHT ZU ERSTATTEN …

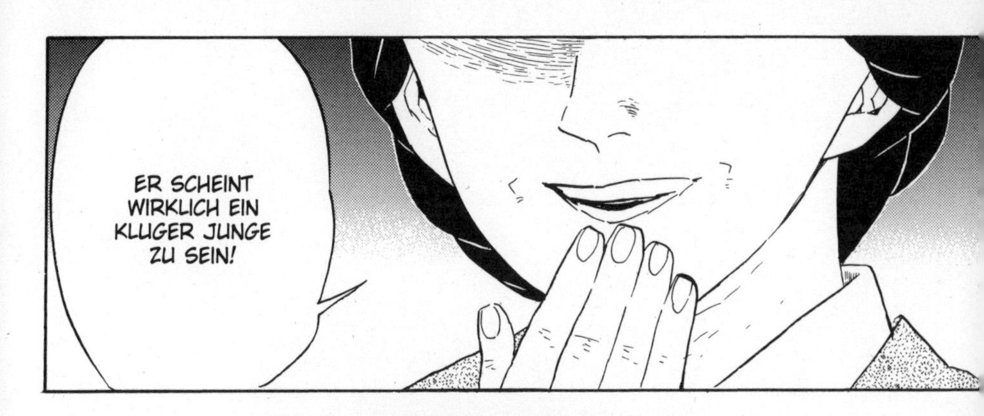
ER SCHEINT WIRKLICH EIN KLUGER JUNGE ZU SEIN!

MIR WAR LEIDER KEIN EIGENES KIND VERGÖNNT, UND DESHALB WAR ICH SEHR BETRÜBT. ABER SEIT NUN DIESER GUTE JUNGE DA IST, GEHT ES MIR VIEL BESSER!
WIR SIND ZWAR NICHT BLUTSVERWANDT, ABER FÜHLEN UNS TROTZDEM WIE MUTTER UND KIND. DER JUNGE WIRD MAL IN MEINE FUSSSTAPFEN TRETEN!

LEIDER HAT ER EINE HAUTKRANKHEIT UND ...
... DARF TAGSÜBER NICHT NACH DRAUSSEN.
DER ARME!

Kapitel 67: Die Suche

NICHT EIN EINZIGER DER 200 FAHRGÄSTE IST UMGEKOMMEN?
KYOJURO HAT ALLES GEGEBEN. EIN TOLLER JUNGE.

ABER ICH BIN NICHT TRAURIG OB DES VERLUSTS.
DENN AUCH ICH WERDE NICHT MEHR LANGE LEBEN …
… UND IN KÜRZE SICHER KYOJURO UND DIE ANDEREN IM NACHLEBEN TREFFEN.

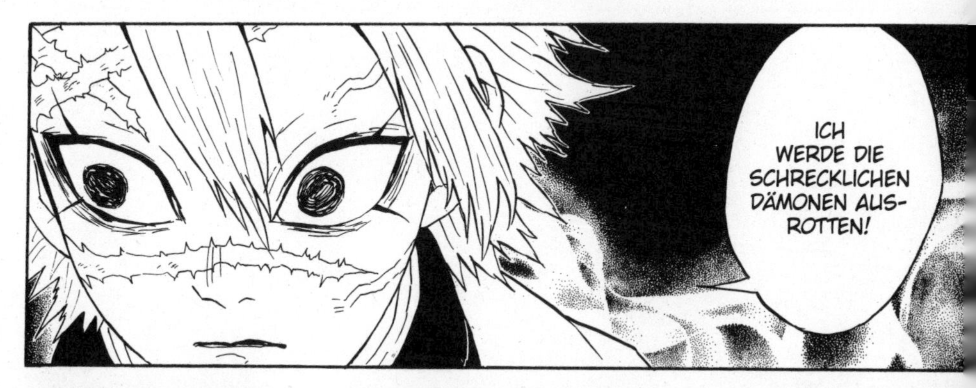
ICH WERDE DIE SCHRECKLICHEN DÄMONEN AUS-ROTTEN!

AHA ...

GEGEN EINEN DÄMON DER OBEREN RÄNGE VERLIERT ALSO SELBST EINER WIE RENGOKU.

ICH GLAUB DAS EINFACH NICHT.

GEPRIESEN SEI AMIDA-BUDDHA!

SO ... RENGOKU ...
... IST ALSO GESTORBEN ...

BUWÄÄÄÄÄÄH!
BONK
BONK
隠
隠
* KAKUSHI (AUFRÄUMARBEITER)

ONOSTOFFE ISHIDA
GROSSER AUSVERKAUF
Die Nachricht von Rengokus Tod erreichte bald Ubuyashiki und die Säulen.

BONK!!
NEIN, ICH WEINE NICHT!!
SWUSCH SWUSCH
WAAAH!
KOMMT HER, WIR ÜBEN!!
BUWÄ..ÄÄÄH!
DAPP DAPP

WÄH
AUCH WENN ES HART IST, HÖRT AUF ZU WEINEN!
EGAL WIE ERBÄRMLICH WIR UNS FÜHLEN, EGAL WIE SEHR WIR UNS SCHÄMEN …
… WIR MÜSSEN WEITERLEBEN!
DU WEINST JA SELBST!
DEINE TRÄNEN FLIESSEN VON UNTER DEINER SCHWEINSMASKE HERVOR!

FRAG DICH NICHT, OB DU WIE ER WERDEN KANNST ODER NICHT!!

ER HAT DOCH GESAGT, WIR SOLLEN AN UNS GLAUBEN!
ALSO HALTET EUCH DARAN UND DENKT AN NICHTS ANDERES!!

WENN JEMAND STIRBT, KEHRT ER ZUR ERDE ZURÜCK!
JETZT ZU FLENNEN MACHT IHN NICHT WIEDER LEBENDIG!

… JEMALS WIE HERR RENGOKU WERDEN KANN …?

UH …
UH …
BUHUH …

ZITTER
ZITTER
ZITTER

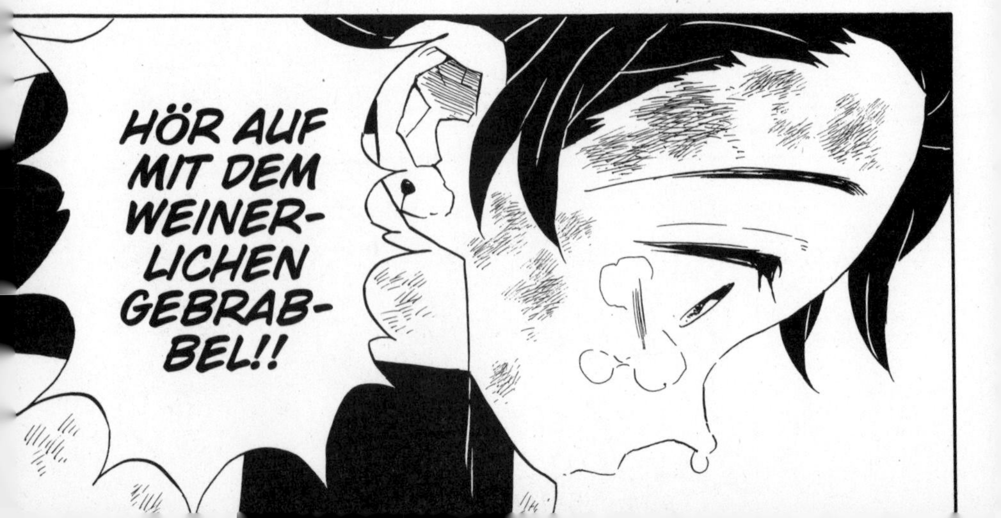
HÖR AUF MIT DEM WEINER-LICHEN GEBRAB-BEL!!

ES IST SO FRUSTRIE-REND.
KAUM HABE ICH ETWAS GE-LERNT ...
... ERSCHEINT GLEICH WIEDER EINE UNÜBER-WINDBARE MAUER VOR MIR.

DIE SÄULEN SIND TOLL, SIE KÄMPFEN AUF EINER STUFE, DIE MIR GANZ WEIT OBEN ...
... UND UN-ERREICHBAR ERSCHEINT.

UND ICH BIN IMMER NOCH HIER UNTEN UND STRAUCHLE STÄNDIG.
...
OB ICH ...

JA, DAS DENKE ICH AUCH.

ICH KANN ES NICHT FASSEN, DASS ER …
… NUN TOT IST.
WAR DAS WIRKLICH EIN HOCHRANGIGER DÄMON?

JA.

WIESO IST DER HIERHER GEKOMMEN?
IST DER WIRKLICH SO STARK?

JA …

ALS DER ZUG ENTGLEIST IST ...
... HAT HERR RENGOKU VIELE TECHNIKEN ANGEWANDT ...
... UM DIE SCHÄDEN AN DEN WAGGONS MÖGLICHST GERING ZU HALTEN.

JA, DAS HAST DU GUT GE-MACHT!

MUTTER!

KONNTE ICH MICH BEWÄHREN?
KONNTE ICH ALLES ERREICHEN, WAS ICH ERREICHEN MUSSTE?

JUNGE IN GELB!
WACHST UND ENTWICKELT EUCH NOCH VIEL WEITER!

DANN WERDET IHR SELBST ZU SÄULEN DER DEMON-SLAYER-TRUPPE!
DARAN GLAUBE ICH FEST!

ICH GLAUBE AN EUCH!
...

MACHT EUCH NICHTS DRAUS, WENN ICH JETZT STERBE.
FÜR EINE SÄULE ...
... IST ES SELBSTVERSTÄNDLICH, DASS SIE DIE JÜNGEREN ABSCHIRMT UND BESCHÜTZT.

JEDE SÄULE HANDELT SO. WIR DÜRFEN NICHT ZULASSEN, DASS DIE JÜNGEREN ...
... IN IHRER ENTWICKLUNG GESTOPPT WERDEN.
SICKER
SICKER
KAMADO!

SCHWEINSKOPF-JUNGE!

SEID MUTIG UND LEBT!

EGAL WIE SEHR EUCH EURE KÖRPERLICHE UND GEISTIGE SCHWÄCHE DEPRIMIEREN MAG …
… ENTZÜNDET EUER INNERES FEUER, BEISST DIE ZÄHNE ZUSAMMEN UND SCHAUT NACH VORNE!

WENN IHR STEHEN BLEIBT UND EUCH EINIGELT, RAUSCHT DIE ZEIT AN EUCH VORBEI!
DENN SIE NIMMT KEINE RÜCKSICHT AUF EUCH UND WIRD EUCH NICHT TRÖSTEN!

JUNGER KAMADO!
ICH GLAUBE AN DEINE SCHWESTER ...
... UND ERKENNE SIE ALS MITGLIED DER DEMON-SLAYER-TRUPPE AN.

IM ZUG HABE ICH GESEHEN, WIE SIE ...
... BLUT VERGOSS, UM ANDERE ZU BESCHÜTZEN.

WER UNGEACHTET SEINES EIGENEN LEBENS GEGEN DÄMONEN KÄMPFT UND MENSCHEN BESCHÜTZT ...
... IST EIN DEMON SLAYER, EGAL WAS IRGENDJEMAND ANDERS SAGT.

HERR …
… REN-GOKU …
KÖNNEN SIE NICHT MIT ATMUNG DEN BLUTFLUSS STILLEN?
GIBT ES KEINE METHODE, IHRE WUNDEN ZU SCHLIES-SEN?
DAS IST JETZT NICHT WICHTIG!

NEIN.
ICH STERBE SEHR BALD.
HÖR MIR ZU, SOLANGE ICH NOCH SPRECHEN KANN!

SAG MEINEM …
… KLEINEN BRUDER SENJURO …
… DASS ER AUF SEIN GEFÜHL HÖREN UND DEN WEG, DEN ER FÜR DEN RICHTIGEN HÄLT, VERFOLGEN SOLL.

UND SAG MEINEM VATER …
… DASS ER AUF SEINE GESUNDHEIT ACHTEN SOLL.
UND …

GEH BITTE …
… ZUR FAMILIE RENGOKU, ZU MEINEM ELTERN-HAUS.

DA SOLLTE ES AUFZEICHNUNGEN VON FRÜHEREN SÄULEN DER FLAMMEN GEBEN.
MEIN VATER HAT OFT IN IHNEN GELESEN …
… ABER ICH NICHT, DESHALB KENNE ICH IHREN INHALT NICHT.

ES KANN SEIN, DASS DA ETWAS DRINSTEHT ÜBER DEN TANZ DES FEUERGOTTS, VON DEM DU GESPROCHEN HAST.
FLODDER

Kapitel 65: Auflösung im Morgengrauen

...

IN EINEM TRAUM VON FRÜHER ...
... KAM MIR EINE ER-INNERUNG.

DU HAST EINE BAUCH-WUNDE …
DAS IST EINE ERNSTE VERLETZUNG, JUNGER KAMADO!

WENN DU STIRBST, DANN HABE ICH DEN KAMPF VER-LOREN.

KOMM HIERHER!
LASS UNS ZUM SCHLUSS NOCH EIN WENIG REDEN.

AAAAAAH!

UH ...
BUHUU ...

...

NUN SCHREI DOCH NICHT SO!

UAAAAAA...
...AAAAH!
AAA-AAH!
AAAAH!
WAAAH!

... IST VIEL, VIEL BESSER ALS DU!! UND VIEL STÄRKER!!
UND ER HAT UNS ALLEN DAS LEBEN GERET-TET!!
HERR RENGOKU WIRD NICHT VERLIEREN!!

ER HAT BIS ZUM ENDE WACKER GEKÄMPFT!
ER HAT UNS ALLE BE-SCHÜTZT!

HFF
HFF
DU HAST VERLO-REN!!
DER SIEGER IST ...
HFF
... HERR RENGOKU!

IHR KÄMPFT GEGEN UNS DEMON SLAYER IMMER NUR NACHTS, WENN IHR IM VORTEIL SEID!!
OBWOHL WIR VER-LETZLICHE MENSCHEN SIND! OB-WOHL UNSERE WUNDEN NICHT SO SCHNELL HEILEN UND VERLORENE GLIEDMASSEN NICHT EINFACH NACHWACH-SEN WIE BEI EUCH!!
BLEIB HIER, DU IDIOT!! IDIOT!!
FEIG-LING!!
HERR RENGOKU ...

BRRTZ
WAS SCHREIT DER KNIRPS DA?
IST DER BLÖD?!
ICH FLIEHE NICHT VOR DER DEMON-SLAYER-TRUPPE, ICH FLIEHE VOR DER SONNE!
AUSSERDEM IST DER KAMPF SCHON ENTSCHIEDEN!
DER KERL DA WIRD BALD STERBEN!

WAPP
BLEIB HIER, DU FEIG-LING!!
LAUF NICHT WEG!!!

ZWO
SCH
...!

BOMM!
VER-
DAMM-
TER
MIST!
ICH
MUSS
SCHNELL
WEG VOM
SONNEN-
LICHT!
!!

ICH MUSS SCHNELL AN EINEN SCHATTIGEN ORT ...!!
DOMM
KRRK
GNOSCH

PAMM!

BOOOM

BESTIEN-
ATMUNG ...
... ERSTER
HAUER ...
BOHREN UND
REISSEN ...
WUMMS

TSCHAPP
INOSUKE! BEWEG DICH!!
WIR MÜSSEN HERRN RENGOKU HELFEN!!

DAPP

OOOOOOH!
NICHT, BIS ICH DICH GEKÖPFT HABE!!!
AAAAAAAH!
LASS MICH LOS!
AAAAAH!

!!
OOOOOOOOOOH!
OOOOOOOH!
AAAAH!
ICH LASSE DICH AUF KEINEN FALL LOS!

ICH MUSS DEM DÄMON DEN KOPF AB-SCHLAGEN!! SCHNELL!!
DER TAG BRICHT AN!!
DAS SONNENLICHT WIRD MICH TREFFEN!!
ICH MUSS HIER WEG! ICH MUSS FLIEHEN!!

Kapitel 65: Wessen Sieg?

ES WIRD BALD HELL!!
ICH MUSS IHN SO SCHNELL WIE MÖGLICH TÖTEN UND VON HIER VERSCHWINDEN!
ABER ICH KANN ...
... MEINEN ARM NICHT WEGZIEHEN!!
ICH LASSE DICH NICHT HIER WEG!

GRABB
ER HAT MICH GE-STOPPT!!
UNFASSBAR, SEINE KRAFT!! ABER MEINE RECHTE FAUST HAT SEINE MAGENGRUBE DURCHSTOSSEN, DAS IST EINE EMPFINDLICHE STELLE!
!!

UOOOOH!!!
KRRRK
ZUSCH!!

TSCHACK
SCHWINGT DER IMMER NOCH SEIN SCHWERT?!
KH ...!!

MUTTER ... AUCH MIR IST ES EINE EHRE ...
... VON EINEM MENSCHEN WIE DIR GEBOREN WORDEN ZU SEIN!

ICH WERDE NICHT MEHR LANGE LEBEN.
ABER ICH BIN GLÜCKLICH, DIE MUTTER EINES SO STARKEN UND LIEBEN KINDES ZU SEIN!
ICH VERLASSE MICH AUF DICH!
GNN

DIE STARKEN HABEN DIE PFLICHT, DEN SCHWACHEN ZU HELFEN.
DIESE PFLICHT VERANTWORTUNGSVOLL ZU ERFÜLLEN, IST ALSO AUCH DEINE BESTIMMUNG!
DAS DARFST DU NIEMALS VERGESSEN!
JA!!
DRÜCK

WEISST DU, WARUM DU ALS JEMAND GEBOREN WURDEST, DER STÄRKER ALS ANDERE MENSCHEN IST?
...
...
...
UH ...
NEIN!
DAMIT DU DEN SCHWACHEN HELFEN KANNST!
WER MIT MEHR BEGABUNG GESEGNET IST ALS ANDERE MENSCHEN ...
... MUSS SEINE KRAFT FÜR DIE ANDEREN EINSETZEN!
CHRRR
CHRRR
MIT DEN VOM HIMMEL ERHALTENEN KRÄFTEN ANDERE MENSCHEN ZU VERLETZEN ODER SICH SELBST ZU BEREICHERN, IST BÖSE!

DU BIST STARK! EIN AUSER-WÄHLTER!!!
KYOJURO!

JA, MUTTER?

ICH SAGE DIR JETZT ETWAS.
DENKE GUT DARÜBER NACH!

AAH!!
DU STIRBST ...!!
GLEICH STIRBST DU, KYOJURO!
WERDE ZUM DÄMON!! SAG, DASS DU ZUM DÄMON WERDEN WILLST!!

GWOOOO

IST ES VORBEI? DURCH DEN AUFGEWIR-BELTEN STAUB SIEHT MAN NICHTS.
HERR RENGOKU! HERR RENGOKU!!

JETZT SEHE ICH ...

UH ...

DO
ZERSTÖRERI-
SCHER TOD ...
TYP UNTER-
GANG!

NEUNTE FORM ... RENGOKU ...
DOOOM
...!!

BRITZEL
DEIN KAMPFGEIST IST BEEIN-DRUCKEND! SELBST MIT SOLCHEN WUNDEN ...
... BIST DU NOCH VOLLER ENER-GIE UND WILLENS-KRAFT!
DU ZEIGST NICHT DIE GERINGSTE SCHWÄCHE!
BRITZEL
KOMM SCHON, WERDE EIN DÄMON!
UND DANN LASS UNS EWIG GEGEN-EINANDER KÄMPFEN!
ZAUBER-ENTFALTUNG
...

ICH ERFÜLLE MEINE PFLICHT!!
ICH LASSE NICHT ZU, DASS HIER IRGEND-JEMAND STIRBT!!

ICH WERDE ...
... IN EINEM EINZIGEN AUGENBLICK EINE GROSSE FLÄCHE AUF-REISSEN!
FLAMMEN-ATMUNG ...
GEHEIM-TECHNIK ...

EGAL WIE SEHR DU DICH INS ZEUG LEGST, ALS MENSCH KANNST DU MICH DÄMON NICHT BESIEGEN!

ZITTER
ZITTER
ICH HABE KEINE KRAFT IN ARMEN UND BEINEN!
BEB
VIELLEICHT LIEGT DAS AUCH AN MEINER WUNDE, ABER SO GEHT'S MIR AUCH, WENN ICH DEN TANZ DES FEUERGOTTS BENUTZE.
UND DAS JETZT, WO ICH HELFEN WILL!!
BEB
BEB
GWOMM

EGAL WIE SEHR DU DICH IM KAMPF VERAUSGABST, KYOJURO, ES IST ALLES UMSONST.
DIE WUNDEN, DIE DU MIR MIT DEINER WUNDERBAREN SCHWERTTECHNIK BEIGEBRACHT HAST, SIND LÄNGST WIEDER VERHEILT.

UND DU?
DEIN LINKES AUGE IST ZERSTÖRT, DU HAST GEBROCHENE RIPPEN UND INNERE VERLETZUNGEN.
DU WIRST NICHT MEHR WIE FRÜHER!

WENN DU EIN DÄMON WÄRST, WÜRDE ALLES IN EINEM EINZIGEN AUGENBLICK HEILEN.
FÜR UNSEREINS SIND DAS NUR KRATZER!

HERR RENGOKU!

HERR RENGOKU!

HERR RENGOKU!

BRITZEL
DA IST KEINE LÜCKE … ICH KÖNNTE NICHT IN DEN KAMPF EINTRETEN! DIE KÄMPFEN ZU SCHNELL, DA KOMME ICH NICHT MIT!
DIE ZWEI SIND JETZT IN EINER ANDEREN DIMENSION!
ICH SPÜRE ES AUF DER HAUT: WENN ICH MICH DENEN NÄHERE, ERWARTET MICH NUR TOD!
WENN ICH ZU HELFEN VER-SUCHE, STÖRE ICH NUR. DAS WEISS ICH, UND DESHALB KANN ICH MICH NICHT RÜHREN.
BRITZEL

HAH
HAH

Kapitel 64: Säulenkraft gegen Dämonenmondkraft

FLAMMEN-ATMUNG ...
... FÜNFTE FORM!
IRRE!!!
ZERSTÖRERI-SCHER TOD ... TYP CHAOS!!!
FLAMMEN-TIGER!!!

BEWEG DICH NICHT VOM FLECK!! WENN DEINE WUNDE AUFREISST, KANNST DU STERBEN!!
BLEIB IN BEREITSCHAFT!! DAS IST EIN BEFEHL!!
ERSTARR
ZASCH
KÜMMERE DICH NICHT UM DEN SCHWÄCHLING, KYOJURO!!
KONZENTRIERE DICH ...
... VOLL UND GANZ AUF MICH!!

... UND DEINE WUNDER-BARE SCHWERT-TECHNIK ...
... BEIDE WIRST DU VERLIEREN, KYOJURO!
MACHT DICH DAS NICHT TRAURIG?!
NATÜR-LICH ...
... NICHT!
KEINEN MEN-SCHEN MACHT DAS TRAU-RIG!

DANN MUSS ICH EBEN NÄHER AN-IHN RAN!!
DOMM
DEINE WUNDERBARE REAKTIONS-GESCHWIN-DIGKEIT ...

KAKASCH..
VIERTE FORM ... WOGEN LODERNDER FLAMMEN!
KASCH
WENN ER MIT DER FAUST IN DIE LEERE LUFT SCHLÄGT, KOMMT SEIN ANGRIFF RASEND SCHNELL ...
DIE DRUCKWELLE IST IN WENIGER ALS EINEM AUGENBLICK BEI MIR!
WENN WIR MIT SO EINER ENTFERNUNG ZUEINANDER KÄMPFEN ...
... WIRD ES SCHWIERIG, IHN ZU KÖPFEN!

DA WILL EINER TROTZ SEINER WUNDER-BAREN BEGABUNG LIEBER KLÄG-LICH VER-WELKEN ...
DAS ZU SEHEN TUT MIR WEH!
NICHT ZUM AUSHALTEN! DANN STIRB LIEBER, SO-LANGE DU NOCH JUNG BIST!
ZERSTÖRERI-SCHER TOD ... TYP LUFT!

UNTER DEN SÄULEN, DIE ICH BIS JETZT GETÖTET HABE …
… WAREN KEINE FLAMMEN!
UND NIEMAND VON IHNEN HAT MEINE EINLADUNG ANGENOM-MEN.
WARUM NUR?
ICH ALS JEMAND, DER AUCH DEN WEG DES KRIEGERS BESCHREITET, KANN DAS NICHT VERSTEHEN.
DABEI KÖNNEN NUR AUSER-WÄHLTE ZU DÄMONEN WERDEN!

BOOOOM
?!

ERSTE FORM ... MYSTERIÖSES FEUER ...
ICH KANN IHNEN NICHT ...
... MIT DEN AUGEN FOLGEN!

ZAUBER-ENTFALTUNG ...
ZERSTÖRE-RISCHER TOD ... KOMPASS-NADEL!
WENN DU KEIN DÄMON WERDEN WILLST, TÖTE ICH DICH!

DIESER JUNGE IST NICHT SCHWACH, ALSO BE-LEIDIGE IHN NICHT!

ICH SAGE ES NOCH EINMAL.

DU UND ICH, WIR HABEN UNTERSCHIED-LICHE WERTVOR-STELLUNGEN!

FÜR MICH GIBT ES NICHT DEN GERINGSTEN GRUND, EIN DÄMON ZU WERDEN!

VERSTEHE.

SO STARK NACH KIBUTSUJI WIE DER DA HAT NOCH KEIN DÄMON GEROCHEN, DEN ICH BIS JETZT GETROFFEN HABE!
ICH MUSS HERRN RENGOKU BEISTEHEN!
WO IST MEIN SCHWERT?!
ES IST WEG ... ES IST WEG ...

ALTERN UND STERBEN IST DAS, WAS DIE SCHÖNHEIT ...
... EINES VERGÄNGLICHEN MENSCHENLEBENS AUSMACHT!

GERADE WEIL ICH ALTERN UND STERBEN WERDE ...
... IST MIR DAS LEBEN TEUER ...
... UND WERTVOLL!

DAS WORT „STÄRKE" BEDEUTET ...
... NICHT NUR KÖRPERLICHE STÄRKE.

ICH BIN KYOJURO RENGOKU, SÄULE DER FLAMMEN.

ICH BIN AKAZA.
ICH WERDE DIR VERRATEN, WARUM DU NIE GANZ PERFEKT WERDEN KANNST, KYOJURO.

WEIL DU EIN MENSCH BIST!
WEIL DU ALTERST UND STIRBST!

WERDE EIN DÄMON, KYOJURO!
DENN DANN ...
... KANNST DU HUNDERT ODER ZWEIHUNDERT JAHRE LANG TRAINIEREN UND WAHRE STÄRKE ERLANGEN!

WILLST DU NICHT AUCH EIN DÄMON WERDEN?

NEIN, DANKE.

MAN SIEHT DIR DEINE STÄRKE AN. DU BIST …
… EINE SÄULE, RICHTIG?

DU HAST EINEN …
… STARKEN KAMPFGEIST.
ER IST NAHEZU PERFEKT.

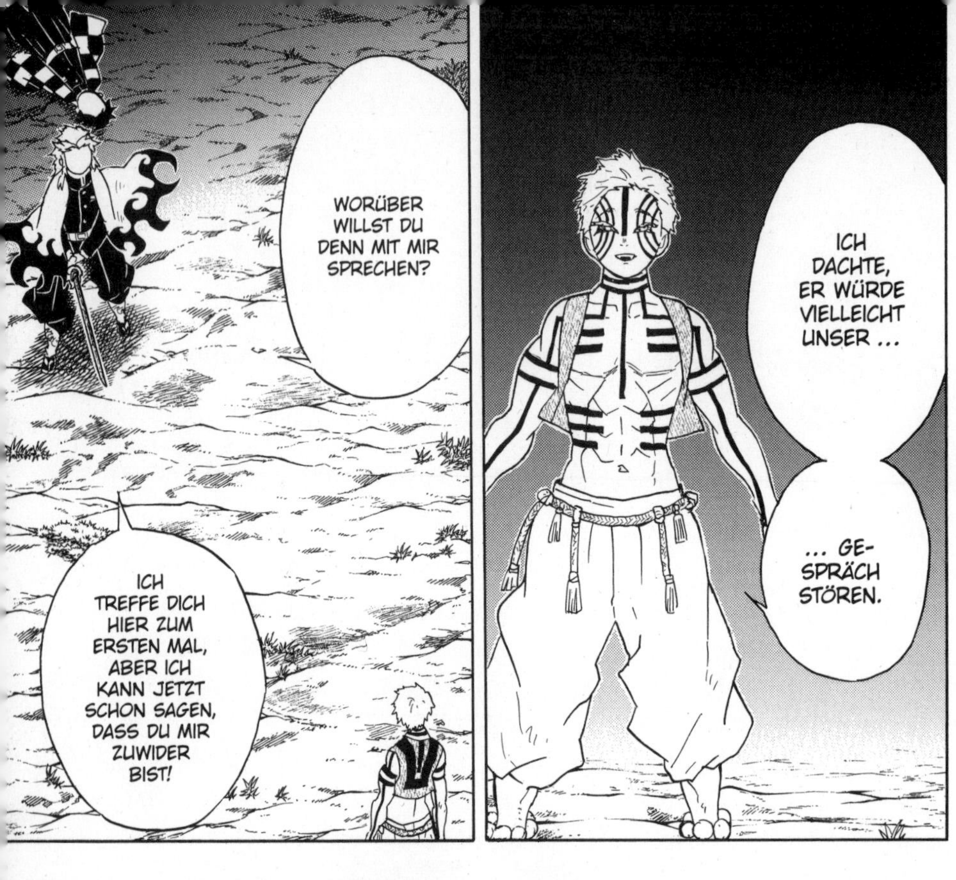
ICH DACHTE, ER WÜRDE VIELLEICHT UNSER …
… GESPRÄCH STÖREN.
WORÜBER WILLST DU DENN MIT MIR SPRECHEN?
ICH TREFFE DICH HIER ZUM ERSTEN MAL, ABER ICH KANN JETZT SCHON SAGEN, DASS DU MIR ZUWIDER BIST!

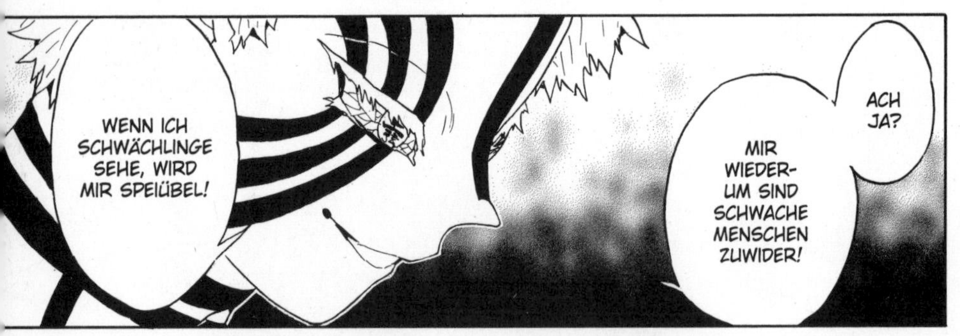
ACH JA?
MIR WIEDERUM SIND SCHWACHE MENSCHEN ZUWIDER!
WENN ICH SCHWÄCHLINGE SEHE, WIRD MIR SPEIÜBEL!

DEINE WERTVORSTELLUNGEN SCHEINEN ANDERE ZU SEIN ALS MEINE.
AHA.
DANN MACHE ICH DIR EINEN WUNDERBAREN VORSCHLAG.

RATSCH
SCHÖNES SCHWERT!

ER REGENERIERT SICH SCHNELL! ER MACHT MÄCHTIG DRUCK UND VERSTRÖMT EINE STRENGE, DÄMONISCHE ATMOSPHÄRE …
ER HAT EINEN HOHEN RANG!
WARUM STÜRZT DU DICH ZUERST AUF EINEN VERWUNDETEN? DAS VERSTEHE ICH NICHT.

... AUF-
STIEG DER
GLÜHENDEN
SONNE!
DOMM
DAPP
DOMM
DOMM
WOPP

FLAMMEN-ATMUNG ...
... ZWEITE FORM ...

ZUNEHMENDE ... DREI?
WAS MACHT DER HIER?
DOMM

BADUM
BADUM
SSST
* ZUNEHMENDE DREI

Kapitel 63: Akaza

Inosukes Kollision mit dem Zug

DOMM
?!

WENN DU DEINE ATMUNG PERFEK-TIONIERST, KANNST DU VIELES ER-REICHEN!
NICHT ALLES, ABER VIELES.
AUF JEDEN FALL KANNST DU DEUTLICH STÄRKER WERDEN, ALS DU NOCH GESTERN WARST!

...
JA ...

DIE ANDEREN SIND ALLE AM LEBEN!
ES GIBT VIELE VERLETZTE, ABER NIEMAND SCHWEBT IN LEBENS-GEFAHR. DU KANNST DICH JETZT ENT-SPANNEN!

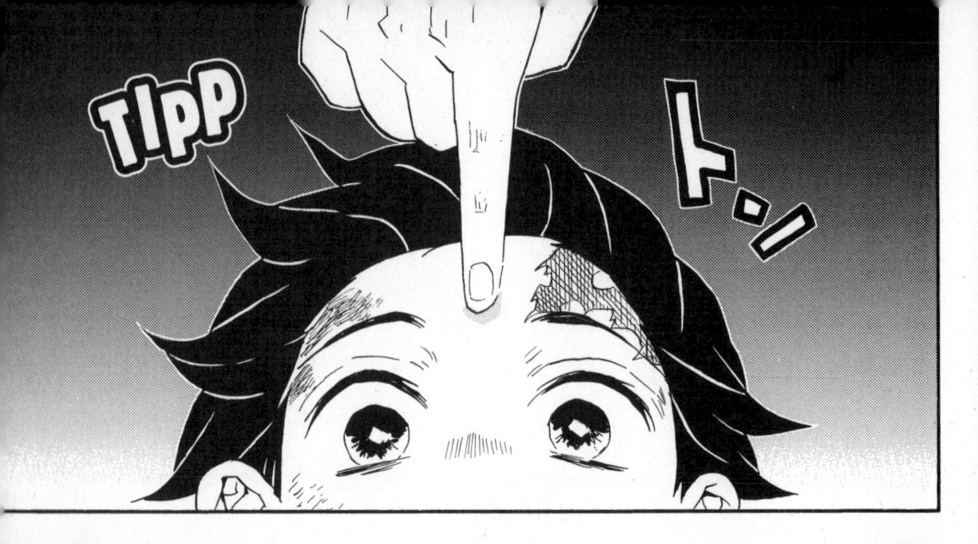
TIPP

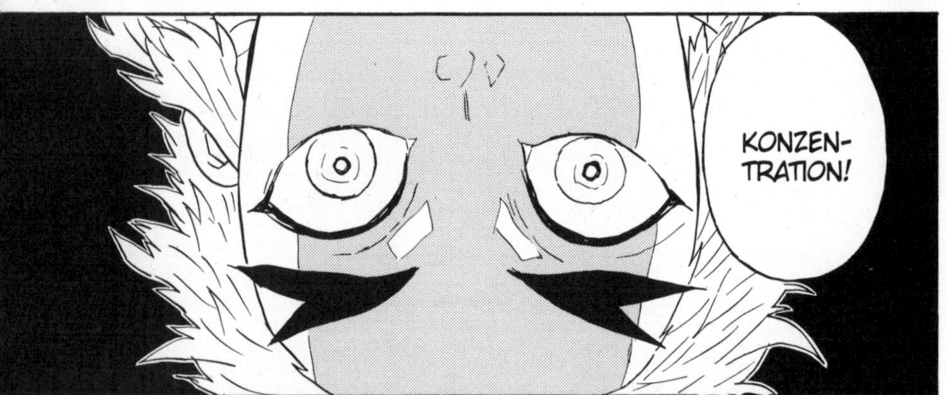
KONZEN-
TRATION!

GNNN!
キュッ

PUHAH!
HAAH ...
HA ...
?

HM!
DU HAST ERFOLG-REICH DIE BLUTUNG GESTILLT!

BADUM

DA …
GENAU DORT!
STOPPE DEN BLUTFLUSS!

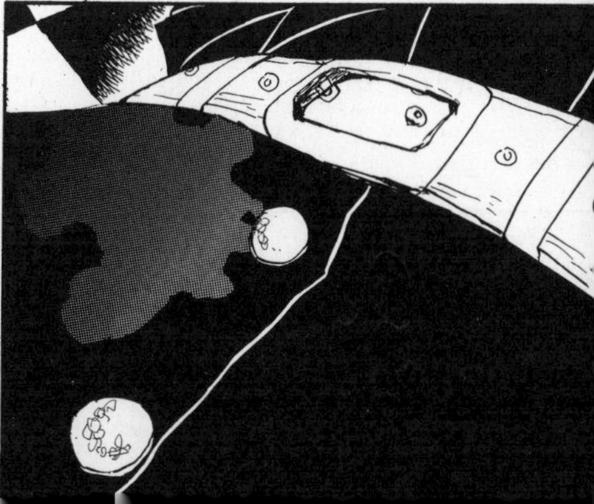

GNNN

AUCH WENN ES VIELLEICHT NOCH 10.000 WEITERE SCHRITTE ERFORDERT, EINE SÄULE ZU WERDEN!

ICH TU MEIN BESTES.

DU BLUTEST AUS DEM BAUCH!

DU MUSST DICH NOCH MEHR KONZENT-RIEREN UND PRÄZISER ATMEN!
WERDE DIR JEDES EINZEL-NEN NERVS BEWUSST, BIS HINEIN IN DEN LETZTEN WINKEL DEINES KÖRPERS.

HAH
HAH
HAH

DEINE BLUTGE-FÄSSE ...
... SIND BE-SCHÄDIGT.

HAH
HAH

KONZEN-TRIERE DICH MEHR!

HAH
HAH

WAS FÜR EINEN ELENDEN ...

... ALBTRAUM ...

... ICH DURCHLEBE!

* ABNEHMENDE EINS

NACHDEM DIESER JUNGE MEINEN ZAUBER BRACH, GING ALLES SCHIEF!
DER ROTZLÖFFEL IST SCHULD!

SELBST WENN ICH SONST NICHTS MEHR SCHAFFE, DEN WILL ICH NOCH UMBRINGEN!
JA, UND DAS WILDSCHWEIN AUCH!!
ICH HÄTTE DEN JUNGEN TÖTEN KÖNNEN ...
... WENN DAS SCHWEIN MICH NICHT GESTÖRT HÄTTE! SEINE INTUITION UND SEIN SEHVERMÖGEN SIND EXTREM GUT!
FLODDER
IST DAS EINE NIEDERLAGE?! MUSS ICH STERBEN?!
AAAAH! ES IST EIN ALBTRAUM! DER REINSTE ALBTRAUM!

ICH HABE 200 GEISELN GENOMMEN, ABER ER …
… HAT MICH BEDRÄNGT UND NIEDERGERUNGEN. DIE KRAFT EINER SÄULE IST BEÄNGSTIGEND!
UND DER ANDERE KERL DA … DER WAR AUCH SEHR SCHNELL.
OBWOHL ER NICHT EINMAL MEINEN ZAUBER GANZ AUFGELÖST HATTE!
UND DANN DAS MÄDCHEN!!
DIE IST DOCH EIN DÄMON! WAS SOLL DAS?!
EIN DÄMON, DER GEMEINSAME SACHE MIT DÄMONENJÄGERN MACHT …
WIESO HAT HERR MUZAN DIE NICHT GETÖTET?!
SCHEISSE! SCHEISSE!!
UND ÜBERHAUPT …

ICH HABE NOCH NICHT MEINE VOLLE KRAFT AUSGE-SCHÖPFT!!

ICH KONNTE KEINEN EINZIGEN MENSCHEN FRESSEN.

ICH HATTE VOR, MIT DEM ZUG ZU VERSCHMELZEN UND GANZ VIELE MENSCHEN AUF EINMAL ZU VERSCHLINGEN, ABER DANN HABE ICH ES VERMASSELT.

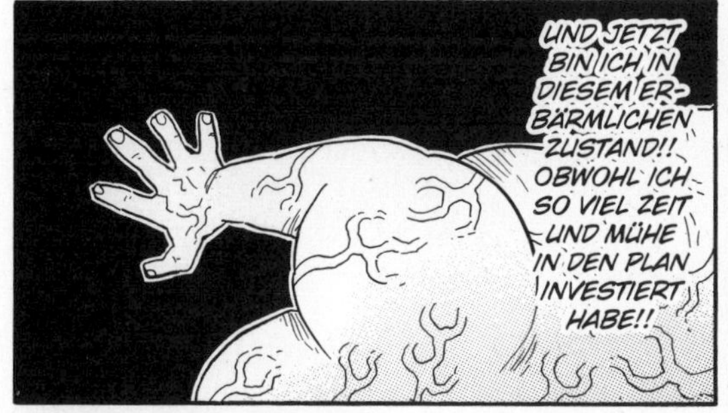
UND JETZT BIN ICH IN DIESEM ER-BÄRMLICHEN ZUSTAND!! OBWOHL ICH SO VIEL ZEIT UND MÜHE IN DEN PLAN INVESTIERT HABE!!

ES IST SEINE SCHULD!!
DER IST AN ALLEM SCHULD!!

NEZUKO ... ZENITSU ...
HERR RENGOKU ...
HOFFENTLICH SIND ALLE WOHLAUF!

HFF
HFF
HFF

...
MEIN KÖRPER IST ZERSTÖRT, UND ICH KANN MICH NICHT REGENERIEREN!

IST DAS MEINE NIEDERLAGE?
WERDE ICH JETZT STERBEN? ICH?!
DAS KANN ...
... DOCH NICHT WAHR SEIN!!

JETZT IST ER DOCH GESTRAFT GENUG!
BITTE RETTE IHN!
...
NEIG
BITTE!
HM ... GUT, DANN GEHE ICH JETZT ZU IHM. ALS BOSS ...
... DER EINEM UNTER-GEBENEN EINEN GEFALLEN TUT!!

ABER NACHDEM ICH IHN GERETTET HABE, REISSE ICH IHM ALLE HAARE AUS!!
SCHNAUB
DAS MUSS DOCH NICHT SEIN!

HFF
HFF
BALD WIRD ES TAG.

GLEICH-MÄSSIG ATMEN!
WIR MÜSSEN DEN VER-LETZTEN HELFEN!

DU BIST DOCH IN DEN BAUCH GESTOCHEN WORDEN! ALLES OKAY?!
RÜTTEL
RÜTTEL
RÜTTEL
RÜTTEL
JA ...
... MIR GEHT'S GUT ... UND DIR?
MIR GEHT'S BLENDEND! ICH BIN NICHT MAL ERKÄLTET!
ICH GLAUBE, ICH KANN MICH NOCH NICHT BEWEGEN ... RETTE DU DIE LEUTE!
GIBT ES VERLETZTE?
WAS IST MIT DEM ZUGFÜHRER GANZ VORNE IM ZUG?

DER DARF RUHIG STERBEN, FINDE ICH!!
DARF ER NICHT!

DER HAT DIR IN DEN BAUCH GESTOCHEN!
SEIN BEIN IST EINGEKLEMMT, DER KANN NICHTS MEHR MACHEN.
ER KANN NICHT MEHR GEHEN!! WENN WIR IHN SICH SELBST ÜBERLASSEN, STIRBT ER!

ALLES IN ORDNUNG …
… SANTARO?!

KOMM ZU DIR!
HEY!!
DER DÄMON HAT MICH GERETTET MIT SEINER …
… SCHAUKELEI!

DEIN ...
... BAUCH ... ALLES IN ORDNUNG?
KRACH
BE-SCHÜTZE DIE ...
... FAHR-GÄSTE!
KRACH
KRACH
ICH DARF NICHT STERBEN!
WENN ICH STERBE, WIRD ER ZU EINEM MÖRDER!
ICH DARF NICHT STERBEN!
UND ICH DARF NIEMANDEN STERBEN LASSEN!

KABOOM
DU HAST IHN GEKÖPFT, UND JETZT KRÜMMT ER SICH!
SCHEISSE!
KRACH
WIR KIPPEN UM!
INO-SUKE ...
KRACH
POCH

BWOMM
GYAAAAH!
RATTER RATTER
RATTER
WAS FÜR EIN IRR-WITZIGER TODES-KAMPF!
WAS FÜR EINE ERSCHÜT-TERUNG!!
...!!

KRACH
GYAH!

Kapitel 62: Es endet in einem Albtraum

INHALT

DEMON SLAYER
KIMETSU NO YAIBA
8
SÄULEN-
KRAFT GEGEN
DÄMONEN-
MONDKRAFT

Auch er ist in Tanjiros Alter. Er umhüllt sich mit einem Wildschweinfell und ist sehr kampflustig.

Er ist im gleichen Alter wie Tanjiro. Im Wachzustand ist er feige und weinerlich. Erst im Schlaf entfaltet er seine wahre Kraft.

Als eine der Säulen der Demon-Slayer-Truppe hat er Tanjiro zur Truppe geführt, und seitdem kümmert er sich um ihn.

Als eine der Säulen der Demon-Slayer-Truppe vernichtet er Dämonen mit seiner Flammenatmung.

Shinobus „Tsuguko" ist sehr wortkarg und tut sich schwer, selbstständig Entscheidungen zu treffen.

Auch sie ist eine der Säulen der Demon-Slayer-Truppe. Das Fachgebiet dieser Schwertkämpferin ist die Pharmazie, und sie braut Gifte, die Dämonen töten können.

Er ist einer der zwölf Dämonenmonde und bewundert Kibutsuji. Von ihm erhielt er neue Kräfte, wurde zum Schlafdämon und jagt jetzt Tanjiro und die Säulen.

Er hat Nezuko zu einem Dämon gemacht und ist dadurch zu Tanjiros Erzfeind geworden. Er lebt als normaler Mensch getarnt.

Die Charaktere

Tanjiro Kamado

Ein lieber Junge, der seine Schwester retten und seine getötete Familie rächen will. Er kann die Schwachstellen von Dämonen und anderen Feinden am Geruch erkennen.

Nezuko Kamado

Tanjiros jüngere Schwester wurde von einem Dämon angefallen und selbst zu einem Dämon gemacht, doch sie beschützt Tanjiro, was ein normaler Dämon nie tun würde.

Was bisher geschah

Die Geschichte spielt im Japan der Taisho-Zeit (1912-1926). Der junge Tanjiro verkauft Kohlen, doch eines Tages wird seine Familie von einem Dämon umgebracht und seine Schwester Nezuko in einen Dämon verwandelt. Er will nun Nezuko in einen Menschen zurückverwandeln und den Dämon finden, der seine Familie auf dem Gewissen hat. Um diese Ziele zu erreichen, geht er mit Nezuko auf Reisen.
Als Demon Slayer bekommt er seinen ersten Auftrag und zieht mit Nezuko zusammen los. Unterwegs erhält er von Frau Tamayo und Yushiro, die Kibutsuji feindlich gegenüberstehen, Hinweise, wie seine Schwester wieder zu einem Menschen werden kann.
Tanjiro und seine Kameraden müssen in einer neuen Mission in eine Eisenbahn steigen und treffen dort auf Rengoku, die Säule der Flammen. Schlafdämon Enmu, die Abnehmende Eins, hat neue Kraft erhalten und versucht, Tanjiro und die anderen im Traum zu töten. Tanjiro erwacht aus seinem Traum und treibt Enmu in die Enge, doch ...

8

SÄULEN-KRAFT GEGEN DÄMONEN-MONDKRAFT

Koyoharu Gotouge

KOYOHARU GOTOUGE

Hallo! Ich bin's, Koyoharu Gotouge. Wie geht es euch? Gesundheit kann man mit keinem Geld der Welt kaufen, und so hoffe ich inständig, dass ihr alle gesund und munter seid. Vielen Dank für die vielen unterstützenden Briefe, Knabbereien, den Tee und die handgemachten Geschenke, die ihr mir geschickt habt! Ich bin jeden Tag in einer derartigen Hochstimmung, dass ich schon Nasenbluten bekomme. Aber wenn mir die Nase blutet, stopfe ich ein Taschentuch hinein und ziehe mir einfach eine Maske drüber, und alles ist gut!

DEMON SLAYER
KIMETSU NO YAIBA